MW00816944

Moon Ocean
Mar de (L)una

Fermina Ponce

Illustrated by
Lee Zimmerman

snow
fountain
press

Moon Ocean
Mar de (L)una

First bilingual edition published, 2020

First edition published in Spanish (Oveja Negra, 2017)
Award Winner ILBA 2019
(International Latino Books Awards)
© Fermina Ponce

ISBN: 978-1-951484-65-1

Snow Fountain Press
25 SE 2nd. Avenue, Suite 316
Miami, FL 33131
www.snowfountainpress.com

EDITORIAL DIRECTOR: Pilar Vélez
FOREWORD: Juana Goergen
TRANSLATION: Mariana Bustamante
DESIGN: Alynor Díaz
ILLUSTRATIONS: Lee Zimmerman

Printed in the U.S.A.

"(...) I love you; I love you; I love you,
with the armchair and the dead book,
through the melancholic hallway,
in the lily's dark attic,
in our moon bed
and in the dance dreamt by the turtle..."

"(...) Te quiero, te quiero, te quiero,
con la butaca y el libro muerto,
por el melancólico pasillo,
en el oscuro desván de lirio,
en nuestra cama de luna
y en la danza que sueña la tortuga..."

Federico García Lorca

To my children Nicolas and Francesco
A mis hijos Nicolas y Francesco

TABLE OF CONTENTS · ÍNDICE

Foreword

In his work, The Age of Poets (2014), the French philosopher Alain Badiou affirms, "*I will simply say that the age of the poets is signaled, by the intra-poetic putting into work of certain maxims of thought, nodal points of the poem in which the thinking that it is, indicates the self as relation or incision of thought.*"

Moon Ocean is a collection of poetry in which the lyric voice opens up the *intrapoetic* to guide the reader into the moon ocean of the Self. The first touch with these waters is the lyrical confessions of Fermina Ponce, in the section entitled *I Write*. In these reasons to write, the poet advises the reader. For in this ocean, sometimes the Self is wrestling with itself, "*I write to ache while I bleed all over, and I surrender completely, even if it destroys me into little pieces, tired of birthing verses...*" It is in this 'incision of thought' where Poetry triumphs. Where the poet Fermina Ponce triumphs, describing the intimate folds of a moon ocean that cannot be expressed otherwise.

The central image of the book is *intimacy*. Through the masterful manipulation of language, Fermina Ponce carves directly into our heart's pieces of her/Self as incisions of her poetic thoughts. The poems in **Moon Ocean** are written out of an intimate need, a profound sadness, and a crushing blow. In them, the lyric voice invites us to look at ourselves in this ocean, as she does, in front of the red mirror/the moon ocean, face to face with our most intimate self. Only then, poetry argues –in both Ponce and Badiou's views-, can we find peace, in the small opening of the *intrapoetic:*

> "Only tonight,
> even if only one night,
> a truce of "you rest my love",
> to cease dying,
> to cease killing,
> to remain from disappearing."

Thus, the poetic voice declares a truce with the Self and recuperates what is good for her children. It is clear that ***Moon Ocean*** could be, at the same time, an ocean in the moon and the reflection of the moon in an ocean. The poet once again reveals the 'nodal points' of the Self, "*I would like so much to change your name in two letters! //embrace you, //take you to my ocean, //erase so much stupidity packed in the marrow*", These revelations allows the reader to either, swim freely in the moon ocean or to observe freely the reflection of the moon in the ocean. This is how Fermina Ponce's poetic voice insert itself into the 'age of poets.' She embraces with love the thousand faces with which life greets us. Her poems filled pain with the language of life, as we can see in her immensely beautiful poem: "***Ocean***".

> "Tough is this skin of mine,
> it resembles carved leather,
> it no longer bleeds,
> darkened by the tip of conches,
> the skulls whistle with each wave,
> and the fire sign no longer leaves a scar."

In ***Moon Ocean***, Fermina Ponce, masterfully transports intimate pain from the blank spaces to peace and liberation through the possibilities of words.

Juana Iris Goergen

PRÓLOGO

En su obra, *La Era de los Poetas*, el filósofo francés Alain Badiou afirma: *"Diré simplemente que la edad de los poetas está indicada por la puesta en práctica intrapoética de ciertas máximas del pensamiento, puntos nodales del poema cuyo pensarse en sí, pronuncia al 'yo' como relación o incisión en el pensamiento."*

Mar de (L)una es una colección de poemas en donde la voz lírica abre las puertas a lo *intrapoético* para guiar al lector dentro del 'yo' de mar de luna. El primer contacto con estas aguas, son las confesiones líricas de Fermina Ponce en la sección titulada **Escribo**. Al dar sus razones de escribir, la poeta informa al lector, ya que, en este mar, a veces el 'yo' está luchando contra sí mismo, *"escribo para doler mientras mi todo sangra y me entrego entera, así me destroce a pedacitos, cansada de parir versos..."* Es en esta 'incisión de pensamiento' en donde la poesía triunfa. Donde la poeta Fermina Ponce triunfa describiendo íntimamente los pliegues de un mar de luna que no pueden expresarse de otra manera.

La imagen central del libro es *intimidad*. A través de una manipulación magistral del lenguaje, Fermina Ponce talla directamente dentro de nuestro corazón, pedazos de 'sí/misma, cual incisiones de su pensamiento poético. Los poemas en **Mar de (L)una** están escritos desde una necesidad íntima, una tristeza profunda, y un golpe devastador. En ellos, la voz lírica nos invita a vernos a nosotros mismos en este mar, como ella lo hace, frente al espejo rojo/ el mar de luna, cara a cara con nuestro más íntimo yo. Solo así, argumenta la poesía –tanto en la opinión de Ponce como Badiou—, podremos encontrar la paz, en la pequeña apertura de lo *intrapoético:*

> "Sólo esta noche,
> aunque sea una noche,
> una tregua de "descansa amor",
> para no seguir muriendo,
> para no seguir matando,
> para dejar de desaparecer".

Por ello la voz poética declara una tregua con el 'yo' y recupera lo que es bueno para sus hijos. Es claro que *Mar de (L)una* podría ser al mismo tiempo, un mar en la luna y el reflejo de la luna en el mar. La poeta revela nuevamente los 'puntos nodales' del 'yo', "*¡cómo quisiera cambiarte el nombre en dos letras! //abrazarte, // llevarte a mi mar, // borrarte tanta estupidez compresa en la médula...*" Estas revelaciones permiten al lector ya sea nadar libremente en el mar de luna u observar libremente el reflejo de la luna en el mar. Así es como la voz poética de Fermina Ponce se introduce dentro de la 'era de los poetas'. Acoge con amor los miles de rostros con los que la vida nos recibe. Sus poemas llenan el dolor con el lenguaje de la vida, como podemos ver en su inmensamente hermoso poema, "*Mar*".

> "Dura tengo esta piel,
> parece cuero tallado,
> ya no sangra,
> se ha oscurecido a punta de caracolas,
> las calaveras silban en cada ola,
> y la marca del fuego ya no deja cicatriz".

En *Mar de (L)una*, Fermina Ponce transporta de manera magistral, el dolor íntimo desde los espacios vacíos hasta la paz y la liberación, por medio de las posibilidades que encierran las palabras.

Juana Iris Goergen

13

I Write

I write to redeem my sin, sear my demons and their **torments** that hurt in the mornings, to steal beauty without being punished by justice, to invent worlds without prejudice or shame, to cross the line a thousand times and find peace on the other side.

I write to recognize a world of nuances, stalking like a feline, brash, without an owner and returning to find shelter; like the moon beam seducing the **night** by handing over abandoned skins.

I write to ache while I bleed all over, and I surrender completely, even if it destroys me into little pieces, tired of birthing verses, even if I agonize with each line, in the silence and whisper of this irreverent future's punctuation.

I write to scrutinize myself in this half-**light**, even if I die of fright when I look and recognize myself in two poles, with more than one face, imperfect and newly repaired; indiscrete and so full of everything.

And you, my red mirror, reflection that anchors me, changes me, cautions me, and fits me to your measurement in the middle of this ocean which for others is uncomfortable. And who cares! If everything flows, my soul grows.

Fermina Ponce

Escribo

Escribo para redimir mi pecado, cauterizar los demonios y sus *tormentas* que duelen en las mañanas, para robar la belleza sin ser castigada por la justicia, para inventarme mundos sin prejuicios o vergüenzas, para cruzar mil veces la raya y encontrar al otro lado la paz.

Escribo para reconocer un mundo con matices, acechando como un felino, con desparpajo, sin dueño y regresando para buscar abrigo; como el rayo de luna que seduce a la *noche* entregando todo en pieles abandonadas.

Escribo para doler mientras mi todo sangra, y me entrego entera así me destroce a pedacitos, cansada de parir versos, aunque agonice en cada línea, en el silencio y en el susurro de esta puntuación de un futuro irreverente.

Escribo para escudriñarme en esta media *luz,* aunque muera de miedo al mirarme, al reconocerme con dos polos, con más de un rostro, imperfecta y vuelta a reparar; indiscreta y tan llena de todo.

Y tú mi espejo rojo, reflejo que me anclas, me conviertes, me adviertes y me ajustas tan a tu medida en la mitad de este mar que a otros incomoda. ¡Y qué más da! si todo fluye y mi alma crece.

Fermina Ponce

STORM

TORMENTA

Storm

Tormenta

BLOOD MOON

Don't need to name her to feel her, nor touch her to perceive her.
Let me rephrase that; if you happen to be touched by her most subtle
of movements,
you are destroyed on the floor,
                    breathless, without a soul.
So many shapes within, so many gowns.

Comes in handfuls,
drawn in words, caresses covered in blisters,
breezes that resemble torrents
and sink in the flesh buried by pain locked in the attic.

I'm surprised to think of her,
we are victims of her subtlety or her brutality,
of her morbid fame,
of her blasting indifference,
without creed or excluding it because of its inability to be.

And who do you think you are, you bastard?
How can you live devoid of peace?

(L)UNA DE SANGRE

No necesito nombrarla para sentirla, ni tocarla para percibirla.
Corrijo; si te toca en su más sutil movimiento,
te destroza en el piso,
                        sin alma, sin aliento.
Tantas formas en ella, tantos vestidos.

Viene en puños,
en caricias coloreadas de palabras llenas de ampollas,
de brisas que parecen torrentes
y se hunden en la piel entrapada por el dolor encerrado en el desván.

Me sorprende pensar en ella,
somos víctimas de su sutileza o de su brutalidad,
de su morbosa fama,
de su indiferencia que golpea,
sin credo o con la exclusión del mismo por su incapacidad de ser.

¿Y quién te has creído, infame?
¿Cómo puedes vivir sin paz?

LOOSING

You lose it,
by morning and night,
your word appeared only in its absence,
in the details that dissolve.

You lose it in kisses that don't arrive and are lost in the street,
in your icy eight-hour work day caresses,
in the message that keeps arriving.

Days sit back to watch the five o'clock sunset,
the light in your face gets dimmer,
                              until you lose it,

the sigh puts distance,
so, it hurts less to wait.

ESTÁS PERDIENDO

La pierdes,
por la noche y la mañana,
tu palabra apareció sólo en ausencia,
en los detalles que se diluyen.

La pierdes en los besos que no llegan y se extravían en la calle,
en las caricias gélidas de tus ocho horas de trabajo,
en el mensaje que no termina de llegar.

Los días se sientan a ver la puesta de las cinco de la tarde,
tu rostro se hace cada vez más tenue,

                                    y la pierdes,
el suspiro se distancia,
y ya no le duele esperar

Blow

Reality dealt me a crushing blow,
head on,
at eleven in the morning,
before coffee,
or tea,
or wine,

      with one blow,
one swipe
and that's it.

Golpe

Me golpeó la realidad tan contundente,
tan de frente,
tan a las once de la mañana,
sin café,
ni té,
ni vino,

    de un golpe,
de un zarpazo
y ya.

TRUCE

Only tonight,
even if only for tonight,
a truce with no flag,
that doesn't shed blood nor bleeds dry,
with your peaceful voice and my tune.

A truce of words tied between moons and half-healed wounds,
with an "it doesn't hurt any more" kiss.

Only tonight,
even if only one night,
a truce of "you rest my love,"
to cease dying,
to cease killing,
to remain from disappearing.

Tregua

Sólo esta noche,
aunque sea sólo por esta noche,
una tregua sin bandera,
que no sangre ni desangre,
con la paz de tu voz y mi tonada.

Una tregua de palabras atadas entre lunas y heridas a medio sanar,
con un beso de "ya no duele tanto".

Sólo esta noche,
aunque sea una noche,
una tregua de "descansa amor",
para no seguir muriendo,
para no seguir matando,
para dejar de desaparecer.

a truce with no flag,
  that doesn't shed blood
  nor bleeds dry, ...

Una tregua sin bandera,
que no sangre ni
   de sangre, ...

It kills us

"Tout est perdonné. Je suis Charlie"
Charlie Hebdo. Journal Irresponsable.
Enero 14, 2015

You,
so stylish,
so aristocratic,
so common sometimes,
so lowly,
so shameless.

And you dare show up dressed in masks of so many creeds.

Worst yet,
your lofty walk and ladylike airs,
claiming any corner
standing tall at one end or anything you choose to be.

How easy it is to be black or white and forget about the shades of gray!
because for you, absolute truth is only on the edge
that slowly drowns or bludgeons us,
that silences our voices in stillness or in art.

That edge which pains us even at childbirth,
in our inner most *self*.

And I,
so naked of you
believing in my God,
a just and generous being.
I am no one to impose him.
And others cannot impose theirs on me.

We are.

You,
who kills us,
wounds us,
erases our stillness,
robs us of our ability to live accompanied,
of celebrating differences and valuing points of view,
even if no one has changed their opinion in the end.

You,
such a harlot, such a climber,
I would like so much to change your name in two letters!
embrace you,
take you to my ocean,
erase so much stupidity packed in the marrow,
whisper peace in your ear,
forgive and call you
inTOLERANCE.

Nos mata

"Tout est pardonné. Je suis Charlie"
Charlie Hebdo. Journal Irresponsable.
Enero 14, 2015

Tú,
tan arreglada,
tan aristocrática,
a veces tan común y corriente,
tan de la calle,
tan sinvergüenza.

Y te atreves a aparecerte vestida con máscaras de tantos credos.

Peor aún,
caminas muy altiva con ínfulas de dama,
tomando partido en cualquier esquina
y muy parada en un extremo o lo que se te ocurra ser.

¡Pero qué cómodo te resulta ser blanco o negro y olvidarte de los
matices en los grises!
porque para ti la verdad absoluta sólo está al filo
que nos ahoga lentamente o de un garrotazo,
que nos calla las voces en el silencio o en el arte.
Ese filo que hasta al parir nos duele,
en el ser más profundo.

Yo, aquí,
tan desvestida de ti,
creyendo en mi Dios,
            un ser justo y generoso.

Y no soy quién para imponerlo.
Y no son ellos para imponerme al suyo.

Somos.

Tú,
que nos matas,
nos hieres,
nos quitas la calma,
nos robas la capacidad de vivir en compañía,
de celebrar diferencias y valorar puntos de vista,
así al final ninguno haya cambiado de opinión.

Tú,
tan ramera, tan rastrera,
¡cómo quisiera cambiarte el nombre en dos letras!
abrazarte,
llevarte a mi mar,
borrarte tanta estupidez compresa en la medula,
susurrarte paz al oído,
perdonarte y llamarte
~~in~~-TOLERANCIA.

CRIME

You smother my wings,
my gentle «I am, »
you lash out at night
and every poisonous word,
bleeds my longing.

My numb self.

CRIMEN

Asfixias mis alas,
mi "soy" tan ligero,
te arremetes en la noche
y cada palabra con filo,
sangra mis ganas.

Mi todo adormecido.

I WANT

...that my entire being rids itself of human misery,
the kind that eats carrion from someone else's life,
without asking,
morbidly,
the kind that destroys without pity.

That my entire being denies altogether taking part of a period that
                                                 |keeps going,
one after another without looking back,
to the flock of sheep that covers itself in silvery white,
black, after all, has always been my color.

That my skin doesn't lose the capacity to be moved by someone else's
                                                     |pain,
by the cries of a hungry child,
by the scream of a battered woman,
or the nightmares that rob that man's sleep
who killed due to the cruelty of war;
nor by the old man's whisper who died in oblivion.

I want my voice to get lost in tears, lamenting and cold,
to reveal itself before the other's and my inertia,
of abundance and excess,
and not enough time to surrender oneself:
however uncomfortable,
however frightful,
however much the mother loses sleep,
or half the world is against it
and the other half is only starting to ask itself how?

That my whole being becomes the voice for my children,
and removes the blindfold of so much human misery.

QUIERO

...que mi todo se despoje de la miseria humana,
de la que come carroña en la vida del otro,
sin permiso,
con morbo,
esa que destruye sin piedad.

Que mi ser se niegue por completo a ser parte del punto seguido,
uno detrás del otro sin mirar atrás,
al grupo de ovejas que se tapan de blanco plateado,
finalmente, negro siempre ha sido mi color.

Que mi piel no pierda la capacidad de estremecerse por el dolor
[ajeno,
por el llanto de un niño con hambre,
por el grito de una mujer maltratada,
ni por las pesadillas que le quitan el sueño a ese hombre que mató por
[la crueldad de la guerra;
tampoco por el susurro del anciano que murió de olvido.

Quiero que mi voz se pierda en llanto, lamento y frío,
que se revele ante la inercia de los otros y los míos,
de la abundancia y el exceso,
y la falta de tiempo para entregarse uno mismo:

así nos incomode,
nos dé miedo,
así la madre pierda el sueño,
o medio mundo esté en contra
y el otro apenas se esté preguntando ¿cómo?

Que todo mi ser sea la voz para mis hijos,
y les quite la venda de tanta miseria humana.

BROKEN

Shattered,
in so many little pieces,
broken and without my mirror,
hallucinating between my navel and my cat,
kneeling in kisses,
breathless.

ROTA

Tan rota,
tan a pedacitos,
quebrada y sin mi espejo,
alucinando entre el ombligo y mi gato,
de rodillas en sus besos
y sin respirar.

A PATCHWORK DRESS

With my skin-color dress of patches,
unique,
so Vogue,
so Lady Gaga,
so ridiculously painful,
uncompromisingly "*trendy*"
and is.

With my patchwork dress due to the "*I'm sorry.*"
After each slap of the soul,
the imperceptible scratch in the dining room,
for that permissive society that tamed my wild animal,
for that perfect way of being loved,
where his space and my space don't blend,
where my shape and his shape don't fuse, but everything is fine?

What a pretty dress!
Covers battles,
in the sand or in bed,
departures,
arrivals,
cold morning coffee,
a kiss on the forehead,
that silent "*what the fuck is wrong with you?*"
though wishing to make love to me that night.

I dress in patches,
I seem like a peaceful ocean
and die heart broken.

Un vestido de remiendos

Con mi vestido de remiendos color piel,
único,
tan Vogue,
tan Lady Gaga,
tan ridículamente doloroso,
implacablemente *"trendy"*
y es.

Con mi vestido de remiendos por aquello del *"I'm sorry."*
¿Después de cada bofetada en el alma,
del rasguño imperceptible en el comedor,
por esa permisiva sociedad que amansó mi animal salvaje,
por esa manera de ser amada tan perfecta,
de su espacio con mi espacio no se mezclan,
de mi forma con su forma no conjugan, pero todo está muy bien?

¡Qué vestido tan bonito!
Cubre las batallas perdidas y ganadas,
en la arena o en la cama,
las salidas,
las llegadas,
el café frío en la mañana,
el beso en la frente,
ese *"what the fuck is wrong with you?"* en silencio
pero esa noche quiere hacerme el amor.

Me visto de remiendos,
parezco un mar tranquilo
y muero de desamor.

I seem like a
peaceful ocean
and die
heart broken

Parezco un
mar tranquilo
y muero de
desamor

Gaza

I do not care for what statistics can tell me about the number
of children that have died in Gaza or in any other armed conflict,
to be able to explain it all.
One, is too high a price.

CEASEFIRE, TO THE STABBINGS THAT WOUND AND KILL US.

Do not cry any more my children,
every tear is torment to your mother's soul,
they unravel by night and are reborn each morning.
Do not fear for the fire my little ones,
come to my bosom,
to your nanny's kisses.

Cease fire, please!

GAZA

No me interesan las estadísticas para saber cuántos niños han muerto
en Gaza, o en cualquier otro conflicto armado para explicarlo todo.
Uno, es un precio demasiado alto.

ALTO EL FUEGO, A ESAS PUÑALADAS QUE NOS HIEREN Y NOS MATAN.

Ya no lloren más mis niños,
cada lágrima es un tormento en el alma de sus madres,
se desbaratan por las noches y renacen cada mañana.
No le teman al fuego mis chiquitos,
acérquense a mi regazo,
a los besos de su nana.
¡Alto el fuego, por favor!

INJUSTICE

She will live shouldering promises,
loneliness on the street,
the past between her legs,
deception in a hat
and such horror in the pants.

Poor bitch,
She will sell herself to the highest bidder.

Injusticia

Vivirá con las promesas a cuesta,
la soledad en la calle,
el pasado entre las piernas,
las mentiras en el sombrero
y el horror en el pantalón.

Pobre perra faldera,
se venderá al mejor postor.

Mirror

The mirror's fears reflected in my face,
in the girth of my waist,
insecure halos and lines running on the valley of my back.

What doubts hidden in dread could a righteous female have,
between stretch marks and children born in such timely fashion?

This body so naked,
so mine,
so distant,
so close,
so loved, tailor-made.

This beautiful armor,
that becomes moonish in your Moon,
with nighttime stars,
and the murmur of the sea.

Espejo

Los temores del espejo se reflejan en mi cara,
en mi cintura gruesa,
halos y líneas inseguras sobre el valle de mi espalda.

¿Qué dudas podría tener una hembra tan entera,
escondidas en el miedo, entre estrías y niños paridos tan a tiempo?

Este cuerpo tan desnudo,
tan mío,
tan distante,
tan cercano,
tan amado a tu medida.

Esta coraza tan bella,
que se *enLuna* en tu Luna,
de estrellas en la noche,
con el arrullo del mar.

Not one less

To the women victims of violence
or any other act of cruelty.

Do not touch me with your eyes,
with your breath,
not even with that indifferent thought,
do not shed blood nor bleed me dry,
do not drown me,
much less feign a caress in the midst of my torn flower
because of your lasciviousness.

Do not kill me,
or unstrap me.

Do not dare want me without my consent,
not even with a sheepish gesture.
You breathe thanks to one like me,
DO YOU GET IT? YOU BREATHE!

Do not whisper anything but apologies ripped from your entrails,
and guilty promises due to your human smallness.

Don't do it.
Not ever.

I don't know whether I can forgive you.

Ni una menos

A las mujeres víctimas de violencia
o cualquier acto de crueldad.

No me toques con los ojos,
con tu aliento,
ni con ese indiferente pensamiento,
no me sangres ni desangres,
no me ahogues,
mucho menos finjas una caricia en la mitad de mi flor arrancada
     por tu lascivia.

No me mates,
ni desates.

No te atrevas a desearme sin permiso,
ni siquiera con un gesto sumiso.
Por una como yo respiras,
¿ENTIENDES?, ¡RESPIRAS!

No me susurres nada menos que perdones desgarrados de las
entrañas
y promesas culpables por tu pequeñez humana.

No lo hagas.
Nunca más.
No sé si te pueda perdonar.

Do not ask

I ask the emptiness.

                  You are not here.

I walk with constant eagerness to love you,

                  You gave me back my love.

What to do!

Better not do.
Better leave.

NO PREGUNTES

Hago preguntas a la nada.

No estás.

Camino con ganas constantes de amarte.

Me devolviste el amor.

¡Cómo hago!

Mejor no hago.
Mejor me voy.

NIGHT

NOCHE

Night

noche

LUNATIC

Death must be a woman clad in nightfall,

Lunatic, frantic, shameless, secretive,
whispers between days and winds,
warmly frigid and abysmally seductive.

She is "that woman" with whom no appointment is needed.
A dance on a single slab,
so cramped that breathing is a murmur.
A perfect cadence.
Three kisses thrusted and on the last one you surrender or it takes you,
against your will.

Lunática

La muerte tiene que ser una mujer vestida de noche.

Lunática, frenética, impúdica, sigilosa,
susurra entre días y vientos,
cálidamente fría y abismalmente seductora.

Ella es "esa" con quien no hay cita previa.
Un baile en una sola baldosa,
tan apretaito que ni la respiración musita.
Una cadencia perfecta.
Un beso a tres golpes y con el último te entregas o te lleva,
              sin tu querer.

SILENCE

Who knows about the voices of silence?
Who has listened to the tones of its voice?

Today I had heard it singing to the grim,
alone,
moaning and not wailing.

In the depths it took courage
from the core,
up to the ocean's red lines.

Night has fallen and I can only hear Chopin's Nocturne Opus 9.

Thus, the black silence:
absent,
nostalgic,
visceral.

We are gone,
silence weeps,
it goes quiet,
      and departs.

El silencio

¿Quién sabe de las voces del silencio?
¿Quién ha escuchado los tonos de su voz?

Hoy lo he escuchado cantándole a la parca,
solito,
con quejidos y sin lamentos.

Tomó aliento desde el fondo de lo profundo,
desde el útero,
hasta las líneas rojas del mar.

Ha caído la noche y sólo escucho el Nocturno No.9 de Chopin.

Así es este silencio negro,
ausente,
nostálgico,
visceral.

No estamos,
el silencio llora,
se calla,
        y se va.

DESOLATION

There is no more perfect "Desolation"
then the one carved by José Limona's hands (1864–1934)
El Prado, Madrid, Summer of 2015.

There,
disheartened over the cold,
with her frigid sex,
desolate,
dry tears of solitude,
and the soul, dead
        from despair.

Desolación

No hay "Desconsuelo" más perfecto,
que el tallado por las manos de José Llimona (1864-1934)
Museo del Prado, Madrid • Verano 2015.

Allí,
abatida sobre el frío,
con su sexo gélido,
desolado,
el llanto seco de soledad,
y el alma muerta
      de desconsuelo.

LADY DEATH

I curl up in silence,
I crumple in oblivion,
I gain strength between you without me

                    and emptiness in between.

Señora muerte

Me acurruco en el silencio,
me apurruño en el olvido,
me hago fuerte entre tú sin yo

        y la nada en la mitad.

OCEAN

Tough is this skin of mine,
it resembles carved leather,
it no longer bleeds,
darkened by the tip of conches,
the skulls whistle with each wave,
and the fire sign no longer leaves a scar.

MAR

Dura tengo esta piel,
parece cuero tallado,
ya no sangra,
se ha oscurecido a punta de caracolas,
las calaveras silban en cada ola,
y la marca del fuego ya no deja cicatriz.

Two

I.

The difference between heaven and hell is in the clouds.

Barefoot,
my soul kept walking on cotton.

II.

Let's fill ourselves with uninhabited nostalgia,
stripped of mourning,
elongated by the tempered strings of madness,
in breathless silent fractions,
the red moon in the background,
leaving and not coming back.

Dos

I.

La diferencia entre el cielo y el infierno está en las nubes.

Sin zapatos,
mi alma se quedó caminando en algodón.

II.

Llenémonos de nostalgias inhabitadas,
desvestidas de duelo,
alargadas por las cuerdas templadas de la locura,
en fracciones de silencios sin aliento,
con la luna roja a nuestra espalda,
irnos y no volver.

Few, very few

Only a few,
very few
        await,
halfway in the distance,
in hesitation's silence,
like bodies contorted between vertigo and nighttime,
like moons and tides drawn by nothingness,
like cats with their mirror
devoid of intertwined caresses.

Only a few,
very few
        await,
without certainties, nor tomorrows,
stitching together verses concocted from poetry's bitter gulp,
corroding green gazes,
fallen on white skin,
reminding me of smoky nights between shared bedsheets.

We are a few
and we await
you
and
me.

Pocos, muy pocos

Sólo pocos,
muy pocos
          esperan,
en la mitad de la distancia,
en el silencio de la duda,
como cuerpos contraídos entre el vértigo y la noche,
como lunas y mareas atraídos por la nada,
como gatos con su espejo,
sin caricias enlazadas.

Sólo pocos,
muy pocos
          esperan,
sin certezas, ni mañanas,
hilvanando versos inventados entre un trago amargo de poesía,
corroyendo las miradas verdes,
caídas sobre una piel blanca,
recordándome las noches de humo entre sábanas compartidas.

Somos pocos muy pocos
y esperamos
tú
y
yo.

Only a few,
very few await

Sólo pocos,
muy pocos esperan.

LIGHT

LUZ

Light

Luz

FREEDOM

Do not cut my wings,
or put me against the wall,
nor turn words against me,
or let spaces fill you up with guilt,
or let sweetness lose its scent,
do not confuse smiles as to which direction is North
or in the denseness of sand in the sea,
because this way,

                           I won't be there.

LIBRE

No me cortes las alas,
ni me pongas contra la pared,
ni hagas que las palabras se vuelvan en mi contra,
ni que los espacios se llenen de culpas,
ni que la dulzura pierda su aroma,
ni hagas que las sonrisas se confundan en su norte o en la arena
apelmazada en el mar,
porque así,

                no voy a estar.

WINGS

I emerged from the cage with broken wings,
withered
with a distant memory of how to fly.

A mirror,
an unknown reflection,
misty,
dirty,
borrowed,
alien and on one's skin,
so mine, so much theirs and lacking my name.

I nestled in silence,
at my golden cage's door,
wondering,
thinking,
hurting,
guilty.

I covered myself in feathers,
in fear,
in lives that others dressed in mine.

Naked, I faced a wolf for the first time,
took the hide from abundant flesh,
draped myself with its purple sheen,
without an explanation I soared.

For the very first time I was.

ALAS

Salí de la jaula con las alas rotas,
atrofiadas,
con un lejano recuerdo de cómo volar.

Un espejo,
ese reflejo desconocido,
empañado,
sucio,
prestado,
ajeno y en piel propia,
tan mío, tan de otros y sin mi nombre.

Me acurruqué en silencio,
en la puerta de oro de mi jaula,
dudando,
pensando,
doliendo,
con culpa.

Me cubrí de plumas,
de miedo,
de las vidas que otros vistieron en la mía.

Me desnudé frente a un lobo por vez primera,
le quité el cuero a tanta piel fresca,
me arropé con su brillo púrpura,
sin explicaciones volé.

Por primera vez fui.

ONE

I will walk barefoot,
nothing to bound my ankles,
or weigh down my shoulders, pushing me in the opposite direction.

I will walk weightless,
without echoes in my ears,
nor shadows chasing behind me.

I will walk head on,
with eyes set on the distance,
love in what is possible and the heart in my womb.

One step at a time.
One.

Uno

Voy a caminar descalza,
sin ataduras en los tobillos,
ni peso en los hombros empujándome hacia lo opuesto.

Voy a caminar liviana,
sin ecos en los oídos,
ni sombras que me persigan por la espalda.

Voy a caminar de frente,
con los ojos en la distancia,
el amor en lo posible y el corazón en el vientre.

Un paso a la vez.
Uno.

You are

Whether you are not there,
whether you are covered,
whether you become unspoken and invisible.

You are,
like a pronoun that isn't and has letters,
like the salt that touches the tip of my breasts,
and the freckles on your fingers.

You are,
whether I cease to exist so I can name you once more.

ERES

Así no estés,
así te cubras,
así te vuelvas tácito e invisible.

Eres,
como un pronombre que no es y tiene letras,
como la sal que toca la punta de mis senos,
y los lunares en tus dedos.

Eres,
así me quede sin vida para nombrarte otra vez.

You are

Eres

LIKE A POEM

When I walk towards you and you gaze at me,
your silence says it all,
in your smile
and your outstretched hand.

When I take you in my arms like a child?
you can rest your demons on my bosom,
your desire on my navel
and your dreams on my being.

One,
we are one,
pierced inside your skin and my desire fused in the night.

We are,
until we cease to be.

Como si fuera un poema

Cuando camino hacia ti y me miras,
todo queda dicho en tu silencio,
en tu sonrisa
y en tu mano extendida.

Cuando te abrazo como si fueras un niño,
descansas tus demonios en mi pecho,
tus ganas en mi ombligo
y tus sueños en mi ser.

Uno,
somos uno,
penetrados en tu piel y con mi deseo fundido en la noche.

Somos,
hasta que dejamos de ser.

WE DID TO EACH OTHER

We paused and tripped each other,
wind and giant kisses in clouds of dust,
left behind by the mood.

We did pirouettes behind a window,
near a street with the name of the moon,
mid-day echo of the night,
with "we will sleep a little longer" voices.

We conned each other,

We worked magic on each other,
step after caress without veils,
nor curtains.

We did something a bit more than verses to each other,
something akin to love.

Haciéndonos

Nos hicimos pausa y zancadillas,
viento y besos agigantados en rutas de polvo,
levantados por los ánimos.

Hicimos piruetas detrás de una ventana,
cerca de una calle con el nombre de la luna,
eco de noche al mediodía,
voces de "dormiremos un poco más".

Nos hicimos triquiñuelas.

Nos hicimos magia,
pisada tras caricia sin velos,
ni cortinas.

Nos hicimos un poco más que versos,
algo similar al amor.

BLUE

Clad in your blue
from head to toe,
from my vertex to my woman's circles.

Shimmering on my skin,
from pore to pore,
indelibly blue.

From the unpredictable thought marrow,
on tiptoes,
kneeling in kisses,
indelibly blue.

Clad in your blue,
day brake in Bogotá,
pure Carioca sunset,
sand between fingers,
you, my indelible you.

AZUL

Vestida de tu azul
de pies a cabeza,
desde mi vértice hasta mis círculos de ser mujer.

Brillante en la piel,
de poro a poro,
indeleble azul.

Desde la medula impredecible pensamiento,
de puntillas,
de rodillas en los besos,
indeleble azul.

Vestida de tu azul,
madrugada bogotana,
atardecer carioca puro,
arena entre los dedos,
tú, mi indeleble tú.

Suspended

I found myself suspended,
in between lines cornered by the morning's rush,
woven between old sheets,
sharp,
astute,
in the perfect comedy,
human to a fault.

I got stuck in the primary color,
in the sweet smell of his skin,
in the celestial map of his kisses,
in the line up to the dot and accent,
in the profound weeping,
intense,
silver color,
steady and prolonged,
straight out of his unknown verses,
alien, yet so mine.

Suspended at the limit,
with one foot here
                         and an eighth of silence over there,
in my place,
tethered,
free with him,
without being here.

SUSPENDIDA

Me quedé suspendida,
entre líneas arrinconadas por la prisa de la mañana,
tejida entre calles viejas,
aguda,
sagaz,
en la comedia perfecta,
tan humana.

Quedé atrapada en el color primario,
en el olor dulce de su piel,
en el mapa astral de sus besos,
en la línea recta hasta su punto y acento,
en el llanto profundo,
intenso,
plateado,
sostenido y prolongado,
sacado de sus versos desconocidos,
ajenos, tan míos.

Suspendida en el límite,
con un pie aquí
                            y un octavo de silencio allá,
en mi lugar,
anclada,
libre con él,
sin estar.

In my place,
tethered,
free with him,
without being.

En mi lugar,
anclada,
libre con él,
sin estar.

Silver threads

You are dazzled by the façade,
the freedom in my eyes,
the irreverence of my pearl color smile that rises from my face.

My words attract you,
the spaces between them,
the rhythm of silence that unites and separates them
and they let you see the sparkle of a female
                                        at half-light.

You are seduced by a caress in the bathtub,
a kiss on your arm at dawn,
a "make me yours" without words,
or "enfold me" between your legs.

What if you open the drawers concealed beneath my hair?

There is where my demons lie,
the phantoms of my nights,
imperfections of my days spent kneeling under water,
drop by drop,
no way out.
That is where the fissures are hidden,
the crevices
each thing,
only light,
mare tranquillitatis.

Hilos de plata

Te deslumbra la fachada,
la libertad de mis ojos,
la sonrisa color perla que sale irreverente de mi cara.

Te atraen mis palabras,
los espacios entre ellas,
las cadencias del silencio que las une y las separa
y te dejan ver el brillo de una hembra
                              a luz media.
Te seduce la caricia en la bañera,
el beso en tu brazo en plena madrugada,
ese "hazme tuya" sin palabras,
o "abrázame" entre tus piernas.

¿Y si abres los cajones que se ocultan debajo de mi pelo?

Ahí están mis demonios,
los fantasmas de mis noches,
las imperfecciones de mis días de rodillas bajo el agua,
gota a gota,
sin salida.

Ahí se esconden las fisuras,
las grietas,
cada cosa,
sólo es luz,
mare tranquillitatis

You are seduced
by a caress
in the bathtub,
a kiss
on your
arm
at dawn

Te seduce
la caricia
en la bañera,
el beso
en tu
brazo
en plena
madrugada

MARE TRANQUILLITATIS

That vast lunar ocean,
the space of my first lunar landing,
my stretched-out glow from his hands to my wings,
time to my cadence,
speed to my tedium,
the extension of my word.

That vast plain full of comings and goings.

That peace.

MARE TRANQUILLITATIS

Ese extenso mar lunar,
mi espacio del primer alunizaje,
mi brillo extendido de sus manos a mis alas,
el tiempo a mi cadencia,
la velocidad a mi tedio,
la extensión a mi palabra.

Ese extenso llano pleno de ires y venires.

Esa paz.

FERMINA PONCE

Bogotá, Colombia.

FERMINA is the author of *Al desnudo and Mar* de (L)una –Published by Editorial Oveja Negra—have had reverberations throughout the literary world in Latin America and in the United States. Both books received the International Latino Book Award (ILBA) honorary mention for best poetry book from a single author 2018 and 2019. Her most recent work, *Poemas SIN NOMBRE*, Filbo 2019 (International Book Fair of Bogotá) is the result of a non-existent journal that compiles her experiences from the point at which she was diagnosed with bipolar disorder II (bipolar depression). Fermina has become a voice for demystifying mental illness. Her goal is that with this book of poems, a conversation might ensue despite the judgement, prejudice, stigma and the fear of what others might say that prevails. Fermina Ponce's poetry grapples with universal themes while simultaneously addressing topics that pertain to her native country, or the country mired in conflict that we all carry within, as Ponce assures us. Her verses speak of human nature, its dualities, and of everything that constitutes a certain complexity that is sometimes so simple.

In 2018 she ventured into the world of prose with René— *Colección Cuentos TRANS*, *From Pilsen With Love and Humor Also Rules* published by MAGMA, Spain. On December 11, 2019 she was appointed as Deputy Poet Laureate for Aurora, Illinois.

LEE ZIMMERMAN
Duluth, Minnesota.

LEE ZIMMERMAN is a recognized visual artist with a Ph.D. in engineering, residing in the state of Minnesota, United States of America. He has written articles on computer science, experimental psychology, engineering, and art. Lee Zimmerman is a Distinguished Silk Artist by S.P.I.N. (Silk Painters International). He has toured all around the world alongside renowned symphonic orchestras as well as flamenco, pop and jazz bands for a show that fuses music and visual art. His drawings and paintings are enjoyed by wide audiences on twitter under the handle @zim291.

Made in the USA
Monee, IL
01 November 2023

45527160R00065